황폐한 집

글 찰스 디킨스 | 그림 존 데이비스 | 옮김 윤영

스푼북

The Charles Dickens Children's Collection: Bleak House
Adapted by Philip Gooden

에스더

에스더 서머슨이라는 이름의 소녀가 있었어. 에스더는 부모님을 모른 채 자랐지. 이모인 바버리 손에서 컸거든. 바버리 이모는 끔찍할 정도로 엄격한 사람이었어. 단 한 번도 에스더에게

미소를 짓거나 친절하게 굴지 않았다지.

에스더는 부모님에 대해 궁금한 게 많았어. 이모가 대답을 안 해 줬거든. 딱 한 번 에스더의 생일에 엄마 이야기를 한 게 전부였어. 이모는 에스더에게 넌 그냥 태어나지 말았어야 했다며, 너희 어머니가 집안을 망신시켰다며 소리를 질렀어.

"성발 끔찍한 망신거리였단다! 쓸모없는 부모는 싹 다 잊어버리도록 해!"

에스더는 비참하고 외로웠어. 다른 아이들과도 쉽게 어울려 놀지 못했지. 이모가 친구들과 놀지 말라고 야단을 쳤거든.

에스더의 유일한 친구는 작은 인형이었어.

때때로 인형을 꼭 끌어안고 울다 잠들곤 했지.

에스더에겐 작고 하얀 손수건이 있었어. 거기엔 파란 실로 H. B.라는 글자가 수놓아져 있었지. 에스더는 그게 엄마 물건이라 믿었어. 그래서 보물처럼 소중히 다뤘어.

그러던 어느 날, 모든 게 바뀌었어.

에스더가 열네 살이던 해, 이모가 갑자기 돌아가신 거야. 그리고 존 잔다이스라는 친절한 남자가 에스더의 후견인*이 되었어. 존 잔다이스는 에스더를 기숙사가 딸린 학교에 보

*후견인: 능력이 부족한 사람이나 보호자가 없는 어린아이의 뒤를 돌보아 주는 사람.

내 주었단다. 학교를 다니면서 에스더는 태어나서 처음으로 행복이란 걸 느꼈어. 친구도 사귀고 말이야. 정말 행복했지.

학교에서의 즐거운 6년이 지나고, 에스더는 편지 한 통을 받게 되었어. 잔다이스가 시골에 있는 자기 집에 와서 같이 살자고 한 거야. 그 집의 이름은 황폐한 집이었어. 에스더는 이름 때문에 걱정이 됐어.

잔다이스는 또 다른 젊은 두 사람의 후견인이기도 했어. 바로 그의 먼 친척인 에이다 클레어와 리처드 카스튼이었지. 잔다이스는 그 둘도 황폐한 집에서 같이 살길 원했어.

에스더, 에이다, 리처드는 런던에서 만나 함께 잔다이스의 집으로 갔어.

에이다는 숱이 많은 금발에 은은한 파란색 눈동자를 가졌어. 그리고 매우 친절했지. 에스더는 왠지 에이다가 오래전부터 알고 지낸 사람처럼 편하게 느껴졌어.

리처드도 좋은 사람이었어. 인생을 그리 심각하게 생각하지 않는 유쾌한 젊은이였지.

세 사람이 잔다이스의 집 근처에 도착했을 땐 서리가 내리는 추운 저녁이었어. 집은 세인트알반스 도시 외곽에 자리 잡고 있었지. 황폐한 집은 이름과 달리 전혀 황폐해 보이지 않았어. 창가엔 촛불이 밝게 빛나고, 현관문 밖으로 훈훈한 기운이 새어 나오고 있었거든.

그들의 후견인, 존 잔다이스가 세 사람을 맞아 주었어. 정말 너무나 반갑게 환영해 주었지.

"사랑하는 에이다, 소중한 에스더. 여기 온 걸 정말 환영한다."

잔다이스가 두 사람을 안아 주었어.

"이렇게 보니 무척 반갑구나! 리처드, 내가 남는 손이 하나 더 있으면 너랑 진하게 악수를 할 텐데!"

존 잔다이스는 얼굴만 봐도 친절함이 느껴지는 백발의 남자였어. 집주인처럼 그의 집도 따뜻하고 안락했지. 무엇보다 전혀 황폐하지 않았어.

하지만 존 잔다이스는 이 집이 한때는 황폐했다고 설명했어.

그는 삼촌인 톰 잔다이스에게 이 집을 물려

받았다고 했지. 톰 잔다이스는 평생 '잔다이스 대 잔다이스'라는 소송에 시달렸다고 해. 아주 오랫동안 이어진 소송이었지.

정확히는 유산 소송이었어. 아주 오래전 잔다이스라는 이름의 인물이 또 다른 잔다이스에게 어마어마하게 많은 돈을 물려준 거야. 그런데 잔다이스 가문에서 제3의 인물이 나타나 자신도 돈을 받아야 한다고 주장한 거지. 그 후로 제4의 잔다이스가 나타났고, 제5의 잔다이스, 제6, 제7 등등…….

소송은 너무나 오래 걸렸고, 이 소송이 왜 시작된 건지도 헷갈리기 시작하더래.

변호사들은 주장했어. 서로 다른 변호사가 서로 다른 주장을 했지. 판사들은 판결을 내렸어. 서로 다른 판사들이 서로 다른 판결을 내렸지.

아무 의미 없는 소송이 줄줄이 이어졌어.

소송은 도통 끝나질 않았어. 그런데도 잔다이스 가문의 여러 사람들은 언젠가는 자기도 돈을 받을 수 있을 거라는 희망을 품고 있었지.

톰 잔다이스는 평생을 법률 문서에 매달렸어. 법정도 무척 자주 들락거렸지. 런던 중심부에 있는 법정을 오가느라 집을 비울 때가 많았어. 그러는 사이 황폐한 집은 허물어져 가기 시작했단다. 갈라진 벽으로 바람이 휘휘 불어 들어오고, 지붕으로는 비가 줄줄 샜어.

톰이 죽고 난 후, 존 잔다이스는 집을 손보기 시작했어. 지붕도 벽도 모두 수리했지. 황폐한 집을 활기 넘치고 안락한 집으로 바꿔 놓은 거야.

존 잔다이스는 자신이 돌보는 에이다, 리처드, 에스더에게 조언했어.

"잔다이스 대 잔다이스 소송에는 절대 휘말려선 안 돼. 그건 축복이 아니라 저주야. 그 소송은 삶을 망가뜨릴 거야."

데드록 부인

데드록 부인은 잔다이스 대 잔다이스 소송에 휘말린 사람이었단다. 남편인 레스터 데드록 경과 부인은 시골에 집이 한 채 있었어. 황폐한 집보다도 훨씬 더 크고 웅장한 집이었지.

문제는 데드록 부인이 이 시골 생활을 너무 지루해했다는 거야. 거기선 딱히 할 일이 없었거든. 폭풍이 치거나 비가 오는 날이면 더더욱 그랬어. 부부는 몇 날 며칠 내리는 비를 보며 앉아 있을 수밖에 없었지. 그들은 더 이상

참을 수가 없었어.

"런던으로 돌아가야겠어요. 유리창 밖으로 내리는 비만 보는 것도 지긋지긋해요. 이러다 미치겠다고요!"

데드록 부인이 남편에게 말했어.

그래서 그들은 시골집을 떠났어. 레스터 경과 데드록 부인은 런던에 있는 집으로 거처를 옮겼지. 그곳은 정말 훨씬 더 재미있는 일이 많았어. 그러던 어느 날, 털킹혼 변호사가 그들을 찾아왔어. 그는 데드록 부부에게 보여주고 싶은 정보가 있다고 했어. 털킹혼 변호사는 코가 뾰족하고 인상도 날카로운 사람이었단다. 그리고 잔다이스 대 잔다이스 소송을 맡고 있었지. 그는 원래 중요한 사람들의 비밀을 캐내는 걸 좋아했어. 상대의 비밀을 알면 권력을 가질 수 있었거든. 그는 권력을 사랑하는 사람이었어.

춥고 습하고 어둑어둑한 오후, 데드록 부인은 벽난로 옆 소파에 앉아 있었어. 부인은 털킹혼이 하는 이야기에 관심이 없었어. 그저 그가 가져온 서류를 성의 없이 흘깃 쳐다보기만 했지.

그러던 부인은 오싹해졌어. 근처 탁자 위에 있는, 손으로 쓴 서류 하나가 눈에 익는 거야. 이럴 수가 있나, 이게 가능한가? 부인은 자리에서 일어섰어.

"이거 누가 쓴 거죠?"

부인이 털킹혼 변호사에게 물었어.

"모르겠네요. 원래 이런 서류를 돈 받고 대신 적어 주는 사람들이 있어요. 법률 대필가라고 하죠. 그런데 그건 왜 물으시죠, 부인?"

데드록 부인은 아무것도 아니라는 듯 우아하게 손을 저었어. 손가락에 낀 부인의 반지가 벽난로 불빛을 받아 반짝였지.

데드록 부인은 다시 자리에 앉았어.

하지만 털킹혼 변호사는 이상한 낌새를 눈치챘어.

부인이 탁자 위에 있는 서류를 다시 한번 보는 걸 목격했거든. 아무래도 데드록 부인이 이 글씨체를 알아보는 게 분명했어.

갑자기 데드록 부인의 얼굴이 창백해졌어. 부인은 이러다 쓰러질 것 같다고 말했지. 레스터 경은 얼른 하녀인 오르탕스를 불러 부인을 침실로 안내하라고 했어.

레스터 경은 아내가 걱정됐어. 부인이 아픈 척한다는 건 전혀 눈치채지 못하고 말이야. 사실 레스터 경은 아내보다 나이가 훨씬 많았고,

청력이나 시력이 그리 좋지 않았어.

그렇게 모임이 끝났지만, 털킹혼 변호사는 자꾸만 아까 있었던 일이 신경 쓰였어. 데드록 부인에게 비밀이 있는 게 분명했거든. 그리고 털킹혼 변호사는 비밀 수집을 좋아했지. 그는 부인이 궁금해한 아까 그 서류를 누가 쓴 건지 밝혀내기로 마음먹었어.

털킹혼 변호사, 조사에 나서다

털킹혼은 법률 문서를 작성한 사무실을 찾아갔어. 그리고 문제의 그 서류를 쓴 사람이 니모라는 이름의 인물이라는 걸 알아냈지.

니모?

뭔가 이상했어. 니모는 라틴어로 '아무도 아닌'이란 뜻이었거든.

털킹혼 변호사는 니모가 근처 고물상 위에 방을 얻어 산다는 것도 확인했어. 이미 늦은 밤이었지만 털킹혼은 당장 니모를 만나러 가기로 했지. 도대체 그는 누구일까? 데드록 부인은 왜 그의 글씨를 보고 이상한 반응을 보인 걸까?

그런데 고물상 주인 크룩 씨조차도 그를 거의 본 적이 없다는 거야.

"가서 내려오라고 할까요? 대답할지는 모르겠지만요. 정말 자기 이름처럼 쥐 죽은 듯이 조용히 사는 사람이에요. 남들과 어울리지도 않고요."

"내가 직접 올라가 보겠소."

털킹혼이 대답했어.

"2층입니다, 변호사님. 어두우니까 양초를 갖고 가세요."

털킹혼은 고개를 끄덕이며 좁은 계단을 올라갔어. 그리고 2층에 있는 시커먼 문 앞에 섰지.

똑똑.

대답이 없었어.

털킹혼은 문을 열어 보았어. 그러다 실수로 들고 있던 촛불을 끄고 말았어.

작은 방은 그을음과 먼지 때문에 거의 암흑과 같았지. 부서진 책상 위에 있는 초도 거의 다 타서 곧 꺼질 것만 같았어. 털킹혼은 의자 두어 개와 낮은 침대를 발견했어.

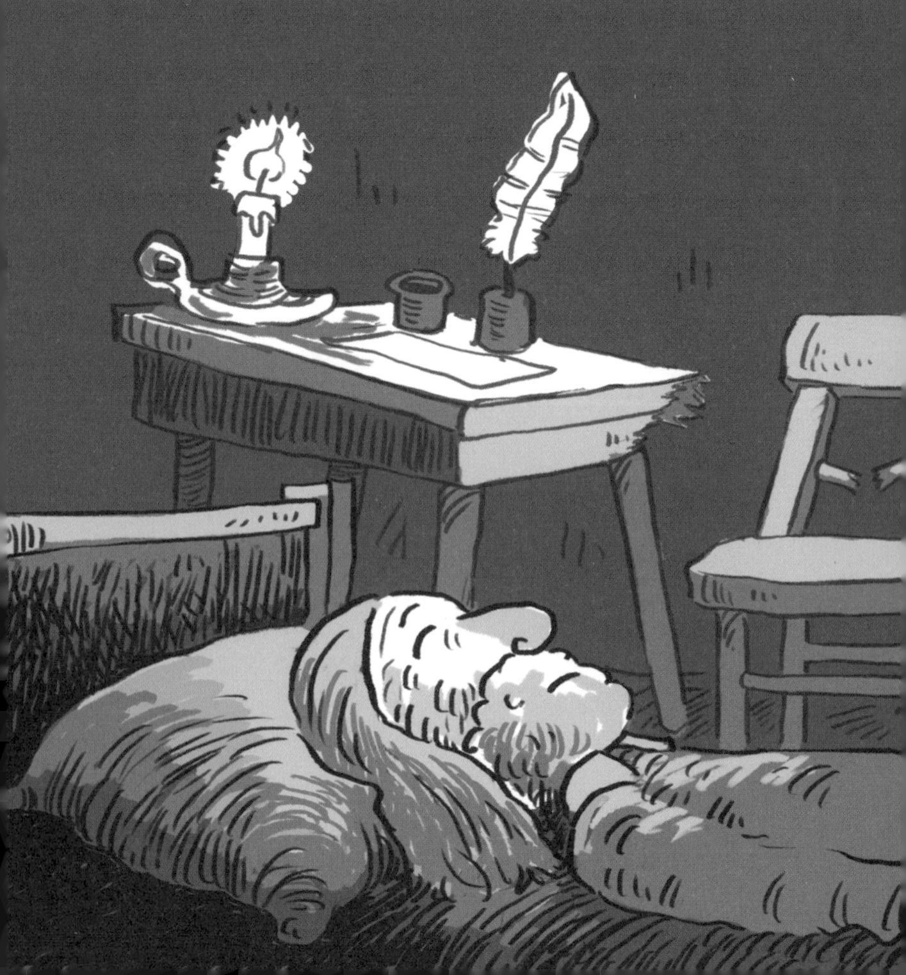

침대엔 한 남자가 누워 있었단다. 지저분한 셔츠와 다 해진 바지를 입은 맨발의 남자. 그 남자는 머리카락과 수염도 어지럽게 엉켜 있었지. 침대 옆 바닥에는 빈 병도 두 개

놓여 있었어.

“저기, 여보게!”

털킹혼이 철 촛대로 문을 쾅쾅 쳐서 그를 깨웠어.

하지만 남자는 꼼짝도 하지 않고 대답도 없었지.

털킹혼은 다시 소리쳤어.

역시나 침대 위 남자는 아무런 반응이 없었어.

털킹혼은 얼른 의사를 불렀지만 이미 때는 늦었어.

니모는 죽은 거야.

그리 늙지도 않았는데, 술과 가난이 그의 목숨을 앗아 간 거지. 니모의 집주인인 크룩 씨는 죽은 남자에게 6주째 방세를 못 받았다며 투덜거렸어.

니모의 죽음을 안타까워하는 사람은 단 한 명뿐이었어. 바로 조라는 사내아이였지. 조는 읽지도 쓰지도 못하는 노숙자 꼬마였어. 귀부인들이 지나갈 때 길을 쓸어 주고 받는 푼돈으로 먹고살았지. 그런 조에게 친절했던 사람이 니모였던 거야. 자기도 버는 돈이 거의 없지만 조에게 늘 동전 한두 개씩을 나눠 주었대. 조는 흐느끼며 안타까워했어. 니모의 도움이 자신에게 얼마나 큰 의미였는지 미처 말하지 못한 걸 아쉬워하면서.

털킹혼 변호사는 옆에 서서 그 모습을 지켜보았어.

털킹혼은 데드록 부인이 니모의 손 글씨를 보고는 왜 그렇게 놀랐는지 또다시 궁금해졌지.

몇 주 후, 털킹혼이라면 귀가 솔깃할 일이 일어났단다.

어느 날 저녁, 한 여자가 가게 문 앞에 앉아 있는 청소부 조를 발견했어. 여자는 조에게 니모라는 사람에 대해 아느냐고 물었어. 여자의 얼굴은 모자와 베일에 가려 보이지 않았고, 오직 부드러운 목소리만 들렸지. 목소리는 귀부인 같았는데, 입고 있는 옷을 보면 영락없는 하인이었어.

그 여자는 조에게 돈을 줄 테니 니모가 살다가 죽은 집으로 안내해 달라고 했어. 그리고 니모의 묘지에도 가 보고 싶다고 했지.

런던의 빈민가 안에 있는 공동묘지는 빗장을 지른 문으로 가로막혀 있었어.

그 여자는 빗장 사이로 안을 들여다보며 한숨을 쉬었어. 잠시 후 여자는 지갑에서 돈을 꺼내려고 장갑을 벗었고, 조는 그의 손이 정말 작고 깨끗하다고 생각했어. 손가락에는 값비싼 반지도 반짝이고 있었어.

'참 특이한 하인이네.'

조는 생각했어.

데드록 부인과 에스더

어느 날 레스터 경과 데드록 부인은 시골에 사는 친구들 집을 방문했어. 바로 황폐한 집 근처였지. 데드록 부인은 하녀 오르탕스와 함께 산책을 나섰어.

그런데 갑작스레 심한 폭풍우가 쏟아졌어. 번개가 번쩍이고, 천둥이 우르릉 쾅쾅, 비는 또 억수같이 쏟아졌지.

다행히 근처에 빈 오두막이 있어서 데드록 부인과 오르탕스는 오두막 앞 현관에서 잠시 비를 피했단다. 그런데 잠시 후 지나가던 세 사람이 그 현관으로 달려왔어.

그들은 존 잔다이스와 에이다 그리고 에스더였지. 그들도 갑자기 폭풍우를 만나 피할 곳을 찾았던 거야.

잔다이스는 이미 데드록 부인을 알고 있었어. 그는 에이다와 에스더를 소개해 주었지. 데드록 부인은 에이다가 예쁘다며 칭찬했어. 그리고 에스더를 바라보더니 이렇게 물었어.

"정말 부모님이 안 계시나요? 서머슨 양?"

"네, 저는 부모님을 한 번도 본 적이 없어요."

에스더가 대답했어.

무슨 이유였는지, 에스더는 말하기가 힘들었어. 심장도 너무 빨리 뛰고 자기 목소리도 이상하게 멀리서 들리는 것 같았지. 데드록 부인의 얼굴에 뭔가 수상한 표정이 스쳐 지나갔어. 부인은 고개를 돌려 잔다이스와 이야기를 나누기 시작했어.

그러는 동안 오르탕스는 데드록 부인과 에스더를 유심히 살펴보았어.

폭풍우가 그치고 황폐한 집으로 돌아가는데, 에이다가 에스더를 수상하게 흘깃거렸어. 에스더는 왜 그러냐고 물었지.

"아, 그, 그게…… 사실은…… 아무리 봐도 데드록 부인과 네가 많이 닮은 것 같아서……. 눈치를 못 챌 수가 없을 정도였어."

에스더는 너무 놀라서 웃음도 나오지 않았어. 자기처럼 보잘것없는 어린 여자와 저 귀부인 사이에 과연 어떤 연관이 있을 수

있을까?

그 후 에이다는 그 사건을 금방 잊어버렸어. 다른 생각할 거리가 많았거든. 사실 에이다와 리처드 카스튼은 서로 사랑에 빠져 결혼할 계획을 세우고 있었어. 존 잔다이스도 두 사람의 결혼을 허락했어. 그는 에이다와 리처드를 좋아했고 두 사람이 행복해하는 모습을 보고 싶었으니까. 다만 리처드에게 걱정되는 점이

있긴 했어.

"리처드의 문제점은 좀처럼 성실하게 일할 사람처럼 보이지 않는다는 거야. 그는 언젠가 잔다이스 대 잔다이스 소송으로 큰돈을 벌 생각을 품고 있어. 내 삼촌 톰처럼 부자가 되고 싶어 저러는 거야."

존 잔다이스가 에스더에게 말했어.

"잔다이스 씨가 보기에 그 소송으로 부자가 될 일은 없을 것 같나요?"

에스더가 물었어.

"잔다이스 대 잔다이스 소송으로 돈을 버는 사람들은 변호사들뿐이야. 다른 모든 사람에겐 몰락만 있을 뿐이지."

데드록 부인과 털킹혼 변호사

한편 털킹혼은 미스터리한 인물, 니모에 대한 수사를 이어 가고 있었어. 이미 여러 가지를 알아낸 상황이었지. 이제 데드록 부인을 찾아갈 차례였어. 털킹혼은 데드록 부부의 집으로 가서 부인을 마주했단다. 부인은 벽난로 옆 의자에 앉아 있었어. 털킹혼은 데드록 부인 앞에 섰어. 그는 키가 컸고 옷은 머리부터 발끝까지 까만색이었어. 거기에 날카로운 코와 주름 잡힌 이마까지, 그의 모습은 한 마리의 거대한 맹금류 같았어.

털킹혼이 말을 시작했어.

"궁금한 게 있습니다, 부인. 영국군 장교 중에 제임스 호돈이라는 사람을 알고 있나요?"

데드록 부인은 손으로 입을 틀어막았어. 손가락에 낀 반지가 벽난로 불빛에 반짝였지.

부인은 고개를 끄덕였어.

“호돈 대위는 일이 잘 풀리지 않자 술을 마시기 시작했어요. 그리고 법률 문서 작성자가 되었죠. 그는 자신의 처지를 부끄러워하며 사람들 앞에서 모습을 감췄고 본인을 니모라 불렀습니다.”

“저는 그런 것까진 몰랐네요, 털킹혼 씨.”

데드록 부인은 침착함을 유지하려고 노력했어. 하지만 목소리의 떨림을 숨길 수는 없었지.

“다 사실입니다. 부인도 몇 달 전 호돈 대위의 손 글씨를 알아보지 않았나요? 제가 가져온 서류에서 보셨잖아요. 제가 틀렸나요?”

털킹혼이 심각한 표정으로 부인을 바라보았어.

“그를 사랑했어요. 저는 제임스 호돈을 사랑했습니다.”

부인이 담담하게 말했어.

털킹혼 변호사는 자신이 청소부 조를 쫓아다녔다고 말했어. 그리고 그에게서 베일 쓴 여인에 대한 이야기도 들었다고 했지. 그 여자가 니모가 묻힌 묘지를 보고 싶어 했다면서.

"저는 베일 쓴 여인이 당신이라고 생각해요. 아마 하녀인 오르탕스의 옷을 빌려 입고 갔겠죠."

"모든 걸 다 알고 계시네요."

데드록 부인이 한숨을 쉬며 말했어.

털킹혼 변호사는 정말 모든 걸 알고 있었어. 오르탕스에게 데드록 부인을 감시해 달라고 돈까지 줬거든.

“호돈 대위와의 사이에 아이도 있었죠? 그 아이는 어떻게 됐나요?”

털킹혼이 물었어.

“너무 어릴 적 일이었어요. 당시 저는 언니인 앤 바버리와 함께 살고 있었어요. 저는 그때 너무 아팠고, 내 어린 딸은 태어난 지 몇 시간 후에 죽고 말았죠. 언니는 내가 결혼도 하지 않은 채 아이를 가졌단 걸 알고, 제가 너무 수치스럽다고 말했어요. 그 후로 우린 연락을 끊었어요. 언니는 지금 세상을 떠났고요.”

데드록 부인이 말했어.

"따님이 살아 있습니다."

털킹혼이 말했어.

데드록 부인은 헉 소리를 냈어.

"언니분은 돌아가실 때까지 딸을 키웠어요. 지금 부인의 딸은 존 잔다이스 씨와 살고 있답니다. 그가 따님의 후견인이죠. 딸의 이름은 에스더 서머슨입니다."

데드록 부인은 폭풍우가 치던 날 에스더를 만났던 게 생각났어.

"왜 저한테 이런 이야기를 알려 주시는 거죠?"

데드록 부인이 물었어.

"엄마라면 딸에 대해 알아야 하는 것 아닌가요?"

털킹혼이 말했어. 그리고 그의 눈이 사악하

게 번득였어.

“혹시 레스터 씨도 당신의 과거에 대한 비밀을 알고 있습니까?”

“남편한테는 말하지 마세요. 놀라서 쓰러질 거예요.”

데드록 부인이 애원했어.

“어디 그렇게 되는지 두고 봅시다.”

털킹혼은 그대로 돌아서서, 마치 한 마리의 사악한 맹금류처럼 집을 빠져나갔어.

데드록 부인과 에스더

에스더 서머슨은 몸이 많이 아팠어. 존 잔다이스와 에이다가 얼마나 걱정을 했는지 몰라. 하지만 지금은 다행히 건강을 회복했단다.

에스더는 황폐한 집 근처를 걷고 있었어. 언덕을 올라 벤치에 앉아 햇빛이 비치는 숲과 들판을 내려다보았지. 그때 누군가 자기를 향해 다가오는 사람이 보였어. 놀랍게도 그 사람은 데드록 부인이었어.

"서머슨 양, 내가 너무 놀라게 할까 봐 조심스러워요. 많이 아팠다면서요?"

데드록 부인의 얼굴은 창백했어. 부인은 에스더 옆에 앉아 손을 잡았지.

"할 말이 있는데……."

하지만 데드록 부인은 도저히 입이 떨어지지 않았어. 그냥 눈물만 그렁그렁 맺혔지. 부인이 손수건으로 눈물을 훔치는데, 에스더는 데드록 부인이 들고 있는 손수건에 수놓아진 글자를 발견했어. 하얀 손수건에는 파란 실로 H. B.라고 적혀 있었지. 에스더가 엄마의 손수건이라 믿고 지금까지 간직했던 것과 똑같이 생긴 거야.

에스더는 데드록 부인을 바라보았지만 터져 나오는 눈물 때문에 앞이 제대로 보이지 않았어. 숨도 제대로 쉴 수 없었지.

에스더와 부인은 부둥켜안았어.

잠시 후 데드록 부인은 에스더에게 아버지인 제임스 호돈 대위에 대해 알려 주었어. 어린 시절에 호돈 대위와 사랑에 빠지게 된 이야기, 가족들이 두 사람의 사랑을 인정하지 않은 이야기, 그래서 결국 헤어지고 만 이야기, 그 후 딸이 태어난 이야기. 그리고 딸이 죽었다는 소식을 들은 이야기까지…….

실제로는 부인의 언니, 앤 바버리가 아기를 데려가서 키워 주었던 거야.

데드록 부인의 이름은 원래 오노리아 바버리(Honoria Barbary)였어.

H. B.

그런 그가 시골과 런던에 으리으리한 집이 있는 데드록 부인이 된 거였어. 남편인 레스터 데드록 경은 존경받는 노인이었어. 그는 아내를 무척 사랑했고 아내의 과거에 대해서는 아무것도 몰랐단다.

부인은 자신의 과거가 묻혔다고 생각했어. 법률 서류에서 에스더의 아버지인 제임스 호돈의 글씨체를 발견하기 전까지는 말이야.

에스더는 이 이야기를 받아들이기가 힘들었어.

하지만 에스더가 무어라 대꾸를 하기도 전에, 데드록 부인은 얼른 가 봐야 한다고 말했어. 자신의 비밀을 알아 버린 털킹혼 변호사가 남편에게도 사실을 알릴 것 같다며, 큰일이라고 했지. 또 남편은 절대로 자신을 용서하지 않을 거라고 했어.

데드록 부인은 어떻게 해야 할지 몰랐어. 이대로 영원히 영국을 떠나야 할 수도 있었지.

에스더는 가지 말라고 붙잡고 싶었지만 그러지 못했어. 데드록 부인은 에스더를 마지막으로 안아 주고 뺨에 입을 맞췄어. 그리고 그대로 돌아서 가 버렸지.

털킹혼 변호사

털킹혼은 권력을 즐기고 있었어. 생쥐를 갖고 노는 고양이가 된 기분이었지. 만약 그가 데드록 부인의 비밀을 폭로하면, 부인의 주변 사람들 모두의 삶을 망가뜨릴 수 있었어. 폭로를 할지 말지는 데드록 부인의 행동에 달려 있었고.

털킹혼 변호사는 데드록 부인을 만나러 갔어. 부인을 잔뜩 겁주고 싶었거든. 그래야 비밀이 드러날 것을 두려워한 부인이 자기가 원하는 걸 다 해 줄 것 같았으니까. 그런데 털킹혼 변호사가 저택에 도착했을 때 데드록 부인의 하녀 중 한 명이 짐을 싸서 나가고 있었어. 털킹혼 변호사는 잔뜩 화가 났지. 부인의 주변 사람들이 줄어들면 그만큼 부인을 감시하고 정보를 전해 줄 사람도 줄어드는 거니까.

변호사는 집으로 성큼성큼 걸어 들어갔어.

"전 지금 당신의 행동을 받아들일 수 없습니다. 어떻게든 이 상황을 빠져나가려고 하는 것 같군요."

"그러면 안 되나요?"

데드록 부인이 물었어.

"이렇게 나온다면 당신이 숨기고 싶어 하는 비밀을 세상에 드러낼 수밖에 없습니다. 당신은 내 손안에 있어요."

변호사는 이렇게 말하며 곧바로 돌아서서 집을 나왔어.

그날 밤 털킹혼 변호사는 사무실에서 일을 하고 있었어. 그런데 데드록 부인의 하녀인 오르탕스가 사무실에 찾아온 거야. 하지만 이미 데드록 부인의 비밀을 밝혀낸 변호사는 더 이상 오르탕스의 도움이 필요하지 않았어. 그래서 더 이상 오르탕스에게 돈을 쓰지 않았지.

오르탕스는 그게 불만이었어.

오르탕스의 성격은 만만치 않았지. 오르탕스는 사무실에서 큰소리를 내다가 결국 변호사에게 쫓겨났어. 흥분한 오르탕스는 쿵쾅거리며 계단을 내려갔지.

아주 조용한 밤이었어. 하늘엔 밝은 달이 떠 있었지. 달빛이 런던의 수많은 지붕과 교회 첨탑을 은빛으로 비추고 있었어.

그날 밤 10시 무렵, 털킹혼 변호사의 사무실 앞을 지나갔더라면 총소리를 들을 수 있었

을 거야. 그리고 문을 열고 계단을 올라가 털킹혼 변호사의 사무실에 들어가 봤다면 그가 책상에 없다는 걸 알아차렸을 거야. 그는 바닥에 쓰러져 있었으니까. 총알이 그의 심장을 관통했거든.

버킷 경감, 조사에 나서다

런던엔 버킷이란 이름의 경감이 있었어. 좀 이상한 이름이었지만 경감에겐 잘 어울렸지. 버킷, 즉 양동이처럼 단단하면서도 둥글둥글하게 생긴 사람이었으니까. 그는 온갖 정보를 모으고 다니는 걸 좋아했어.

버킷 경감은 털킹혼 변호사 살인 사건을 수사하고 있었어.

이름을 밝히지 않은 제보자가 그에게 편지를 보냈어. 거기에는 '데드록 부인, 살인자'라고 적혀 있었지.

하지만 버킷 경감은 자기가 보거나 읽은 걸 무턱대고 믿는 사람이 아니었어. 그는 늘 신중하게 생각했지.

그는 우선 레스터 데드록 경을 찾아갔어. 털킹혼 변호사가 레스터 경을 위해 일했었으니까. 경감은 데드록 부인의 과거에 대해 자기가 알아낸 모든 걸 털어놓았어.

데드록 부인이 젊었을 때 호돈 대위와 사랑에 빠진 것부터 결혼 전에 아이를 낳은 것, 그 아이가 죽었다고 생각한

것까지 모두 말했어. 레스터 경은 충격을 받았어. 자신의 아내가 남몰래 받았을 고통을 생각하니 가슴이 아팠지.

하지만 아내는 이미 곁에 없었어. 집을 나가 버렸거든.

버킷 경감은 생각에 잠겼어. 아무래도 수상하잖아. 어쩌면 데드록 부인이 진짜 살인범일지도 모르겠다 싶었지.

이어서 버킷 경감은 데드록 부인의 하녀였던 오르탕스와 이야기를 나눴어.

오르탕스는 털킹혼 변호사를 안다고 인정했지만, 그 사람에게 돈을 받고 데드록 부인의 정보를 넘겼다는 이야기는 하지 않았어. 하지만 버킷 경감은 오르탕스가 털킹혼의 이야기를 하면 할수록 점점 화를 낸다는 걸 눈치챘지.

그날 털킹혼을 죽음에 빠트린 총소리가 워낙 커서 주변 개들이 모두 짖었대. 이웃들도

무슨 일이 났나 싶어 창밖을 내다보았다더군.

그중 몇몇이 어둠 속을 몰래 빠져나가는 사람을 목격했다는 거야. 키가 큰 여자였다고 했지.

데드록 부인은 키가 컸어.

하지만 오르탕스도 마찬가지였단다.

경감은 우선 오르탕스의 방을 뒤졌어. 그리고 거기서 편지를 두 통 발견했지. 내용은 '데드록 부인, 살인자'. 경감이 전에 받았던 편지와 똑같은 거였어.

경감은 오르탕스를 체포했어. 그는 자기가 털킹혼을 죽였다고 순순히 자백했지. 돈 때문에 다툼을 벌이다 변호사를 죽였다더군. 권총은 강에다 던져 버리고 데드록 부인에게 죄를 뒤집어씌우려 했대.

그렇다면 데드록 부인은 어디로 간 걸까?

에스더 서머슨과 버킷 경감은 부인을 찾기 시작했어. 레스터 경은 너무 속상한 나머지 같이 아내를 찾아 나설 수가 없었지. 하지만 걱정할 필요는 없었어. 그가 아내의 비밀 때문에 화가 난 건 아니었으니까. 그는 아내를 무척이나 사랑했고 어서 아내가 돌아오기를 바라고 있었어.

에스더 역시 새롭게 찾은 엄마를 빨리 보고 싶었어.

하지만 에스더의 바람은 이루어지지 않았어.

데드록 부인이 빈민가 공동묘지 출입구에서 발견되었거든. 그곳은 데드록 부인의 첫사랑, 제임스 호돈 대위가 묻혀 있는 곳이었어. 묘지

안으로 들어가려고 했던 건지 팔로 철문을 감싸 안은 모습이었지.

에스더는 눈물이 차올랐어. 에스더의 어머니, 데드록 부인은 이미 이 세상 사람이 아니었으니까.

잔다이스 대 잔다이스 소송의 끝

시간이 흐르고 어느 날, 잔다이스 대 잔다이스 소송이 완전히 끝난다는 소식이 전해졌어. 너무나 오랫동안 끌어온 소송이라 이렇게 끝이 난다는 게 신기할 정도였지. 하지만 정말 이런 날이 오긴 온 거야.

에스더, 에이다, 리처드, 잔다이스는 마지막 판결을 보러 가기로 했어. 리처드는 존 잔다이스의 경고를 무시하고 이미 소송에 참여하고 있었지.

힘든 소송에 건강을 해친 리처드는 살이 빠지고 핼쑥해졌어. 친구들은 모두 그를 걱정했지.

어느 날 아침, 그들은 런던에 있는 법원으로 갔어. 이미 어마어마하게 많은 사람이 모여 있더군. 가발을 쓴 판사들도 무척 많았어. 다들 기분 좋게 수다를 떨고 농담을 주고받았어.

"무슨 일이죠?"

존 잔다이스가 판사에게 물었어.

"못 들었어요? 잔다이스 대 잔다이스 소송이 끝났잖아요."

판사 한 명이 대답했어.

"어떻게 끝났다던가요?"

리처드가 눈을 반짝이며 물었지. 그의 다급한 목소리가 갈라졌어.

"그냥 끝났어요."

"완전히 끝이라고요."

판사들이 차례로 대답했어.

"판결은 어떻게 났는데요?"

리처드가 물었어.

"판결 같은 건 없어요."

"그게 무슨 말이죠?"

잔다이스 씨가 물었어.

마침 그때 법원에서 사람들이 밀려 나왔어.

모두들 하나씩 서류 꾸러미를 들고 있었어. 가방에도, 자루에도, 상자에도 서류가 넘쳐 났지.

"남은 돈이 하나도 없어요. 다 사라졌어요."

판사가 웃으며 말했어.

"어디로 사라져요?"

에이다가 물었어.

"저런 서류를 만드는 데도 쓰고, 우리 같은 사람들한테 지불하기도 하고, 그런 거죠, 뭐."

"그래서 모두 없어졌군요."

존 잔다이스가 혼잣말했어.

잔다이스 대 잔다이스 소송은 아주 오랜 시간 동안 수많은 사람의 밥벌이가 되어 주었어. 때로는 누군가의 인생을 망치기도 했지. 리처드도 하마터면 큰일 날 뻔했고.

소송이 끝나고 리처드는 새 삶을 살아갔어.

에이다와 결혼해서 아들도 낳았지.

에스더도 행복하게 살았단다. 그 역시 사랑하는 남자와 결혼해서 아이도 낳았어. 에스더는 어머니인 데드록 부인을 딱 두 번밖에 못 만났지만, 그 기억을 마음속에 깊이 간직했어. 그리고 하얀 손수건도 늘 갖고 다녔어. 손수건은 점점 해졌지만, 귀퉁이에 적혀 있는 H. B. 글자는 선명했어.

바로 엄마 이름의 머리글자 말이야.

H.B.

찰스 디킨스

1812년 영국 포츠머스에서 태어났어요. 찰스 디킨스는 소설 속 등장인물들처럼 가난했고 힘든 어린 시절을 보냈어요. 하지만 어른이 된 그는 자신이 쓴 책으로 전 세계에 알려졌고, 그 시대 가장 중요한 작가 중 한 명으로 기억되고 있답니다.

존 데이비스 그림

해적, 늙은 코끼리, 반바지를 입은 마녀, 자전거를 탄 곰, 못생긴 고양이, 사랑스러운 아이들, 당신이 원하는 게 무엇이든……. 존 데이비스는 어린아이의 마음으로 캐릭터와 줄거리를 생각하면서 그림을 그리는 걸 좋아합니다. 도구는 상관하지 않아요.

윤영 옮김

서울대학교 미학과를 졸업하고 같은 대학원에서 고고미술사학과를 수료했습니다. 현재는 번역 에이전시 엔터스코리아에서 번역가로 활동 중입니다. 옮긴 책으로는 〈암호 클럽〉 시리즈, 〈복면공주〉 시리즈 등이 있습니다.

황폐한 집

초판 1쇄 발행 2023년 6월 27일

글 찰스 디킨스 | 그림 존 데이비스 | 옮김 윤영

ISBN 979-11-6581-421-2 (74840)
ISBN 979-11-6581-418-2 (세트)

* 잘못 만들어진 책은 구입하신 곳에서 바꾸어 드립니다.

발행처 주식회사 스푼북 | **발행인** 박상희 | **총괄** 김남원
편집 김선영·박선정·김선혜·권새미 | **디자인** 조혜진·김광휘 | **마케팅** 손준연·이성호·구혜지
출판신고 2016년 11월 15일 제2017-000267호
주소 (03993) 서울시 마포구 월드컵북로 6길 88−7 ky21빌딩 2층
전화 02-6357-0050(편집) 02-6357-0051(마케팅)
팩스 02-6357-0052 | **전자우편** book@spoonbook.co.kr

제품명 황폐한 집
제조자명 주식회사 스푼북 | **제조국명** 대한민국 | **전화번호** 02−6357−0050
주소 (03993) 서울시 마포구 월드컵북로6길 88−7 ky21빌딩 2층
제조년월 2023년 6월 27일 | **사용연령** 8세 이상
※ KC마크는 이 제품이 공통안전기준에 적합하였음을 의미합니다.

⚠주 의
아이들이 모서리에 다치지 않게 주의하세요.